СКАЗКИ
ИЗ ЛЕСА

Иллюстрации
А. М. Басюбиной, В. Н. Белоусова, М. В. Белоусовой

ЭКСМО
Москва
2013

В некотором царстве, некотором государстве рос большой лес. Весь деревенский люд от мала до велика любил ходить туда за грибами, ягодами и орехами. Всех лес привечал, со всеми щедро делился своими богатствами...

Но было в этом лесу одно местечко, куда никогда не ступала нога человека. Там в самой чаще была заветная поляна, на которой росли дубы-колдуны. Сколько лет им было, никто не знал. Казалось, они здесь были всегда — величественные, мудрые... Охраняли они весь лес от злой нечистой силы да и от злых людей тоже. А вот лесным зверюшкам там было раздолье. Выйдут охотники, начнут зайца или лису гнать, а звери — прямиком на заветную поляну, под дубы спрячутся как сквозь землю провалятся.

Вечером, когда исчезал последний солнечный луч, и на потемневшем небе зажигались первые звёздочки, вокруг дубов-колдунов собирались лесные обитатели, и все, затаив дыхание, ждали, когда самый старый дуб-колдун начнёт сказывать сказки, коих он знал великое множество...

Хотите послушать эти сказки? Тогда садитесь поудобнее и открывайте нашу книгу...

ПРО ТОРОПЛИВУЮ КУНИЦУ И ТЕРПЕЛИВУЮ СИНИЦУ

Стала торопливая Куница шёлковый сарафан к лету кроить. Тяп-ляп! Весь шёлк искромсала-изрезала в лоскутки. И не то что сарафан — платка из этих лоскутков нельзя сшить.

Стала терпеливая Синица из холстины фартук кроить. Тут прикинет, там смекнёт, сюда подвинет, туда подвернёт. Всё она сообразила. Всё высчитала, всё вычертила, потом за ножницы взялась. Хороший фартук получился. Ни одного лоскутка не пропало даром.

Диву далась Куница. На фартук глядит — завидует:

— Где ты кройке-шитью училась, Синица? У кого?

— Бабушка меня шитью выучила.

— А как она учила тебя?

— Да очень просто. Пять волшебных слов велела запомнить.

— Каких?

— «Семь раз отмерь — один отрежь».

МАТЬ-МАЧЕХА

Снесла непутёвая Кукушка три яйца. Одно — в иволгино гнездо, другое — в желнино, третье — в щеглиное. Снесла беззаботная мать и улетела в весёлые леса куковать, годы предсказывать, людям голову морочить, свою душеньку тешить. Летала она так, куковала да и о детях вспомнила, что в чужих гнёздах росли.

— Пора мне их под своё крыло взять, — сказала Кукушка. — То-то обрадуются детушки родимой матушке.

Прилетела Кукушка к иволгиному гнезду, а её кукушонок и не взглянул на мать. Иволгу матерью называет. Из её клюва кормится, на её голос откликается.

— Вон ты каков, неблагодарный! Из моего яйца проклюнулся, а меня и узнать не захотел, — сказала в сердцах Кукушка и полетела в желнино гнездо.

Увидела там кукушонка и к нему бросилась:

— Здравствуй, сыночек! Узнал ли ты свою мать?

Испугался кукушонок невиданной им птицы, на весь лес пищит, Желну кличет:

— Матушка, лети скорее сюда! Чужая тётка хочет меня из родного гнезда унести.

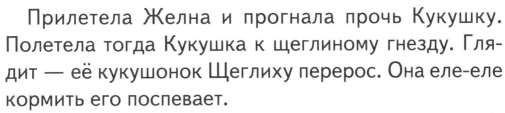

Прилетела Желна и прогнала прочь Кукушку. Полетела тогда Кукушка к щеглиному гнезду. Глядит — её кукушонок Щеглиху перерос. Она еле-еле кормить его поспевает.

«Ну, — думает, — эта-то отдаст мне моего обжору».

— Бери, — говорит Щеглиха, — своего подкидыша. Я из сил выбилась, уж очень он много ест.

Как услыхал это кукушонок, задрожал, замахал крылышками и жалобно-жалобно стал просить Щеглиху:

— Дорогая моя мамонька, я лучше с голоду умру, только из-под твоего крыла под чужое не пойду.

Разжалобилась Щеглиха. Тоже всплакнула.

— Да никому я тебя, мой сыночек, не отдам. Лучше часок-другой не досплю, а тебя выкормлю.

Кинулась тут Кукушка к судье — судом деток отсуживать. А судьёй в этом лесу Дятел был. Мигом дела разбирал. И кукушкино дело скорёхонько рассудил. По совести, по народной мудрости решение вынес: «Не та мать, которая деток народила, а та, что их вскормила, вспоила да на ноги поставила».

БЕЛАЯ БАБОЧКА

Там, где кончается синий лес и начинается золотая степь, старая Тушканиха вырастила пушистого сына. Выучила она его чему могла и стала напутствовать в молодую жизнь:

— Осторожнее будь, Тушкан, в молодой жизни. В оба гляди. Не всякому зверю верь. С умом невесту выбирай. Работящую.

— Ладно, — говорит Тушкан, — в оба буду глядеть, с умом невесту выбирать.

Стал Тушкан свою молодую жизнь начинать, невесту подыскивать.

Белочку увидел. И до чего же у неё хвост хорош! Так и развевается. Одна беда: не в норке живёт, а в высоком дупле-тереме. Не достанешь.

Ежову дочку приглядел. В норке живёт. Да колюча.

У Крота Кротовочки тоже хороши. И шубки мягки, и лапки копки, и сами ловки. Всем Кротовочки лепы, да малость подслепы. Глаза малы. Днём плохо видят.

— Не искал бы, Тушкан Пушканович, худа от добра, — говорит Серая Сова. — Не по одёжке бы невесту искал, а по работе выбирал.

А тот ей:

— Да нет, Сова Совинична, я не хочу жить, как все. Невеста моя должна быть на особицу. Уж очень у меня мех пушистый.

Только он сказал это, как видит — над ним Белая Бабочка вьётся. Складненькая. Маленькая. Аккуратненькая. Так порхает... Такие узоры своим полётом выпархивает — загляденье. Диву дался Тушкан:

— Кто ты такая, прекрасная Белая Бабочка? Чья?

— Да ничья пока. В невестах порхаю. Жениха в хорошей шубке подыскиваю.

Говорит так Белая Бабочка, а сама белой гладью шьёт, воздушные вензеля вышивает. Глаз с неё не сводит Тушкан.

— У меня шубка хорошая, — говорит он. — Пушистая. Не зря меня Пушкановичем величают. Выходи за меня замуж, Белая Бабочка.

— Ну что ж, — отвечает она, — выйду, если работать не заставишь.

Тут вспомнил Тушкан материн наказ и спрашивает:

— А что же ты есть будешь, коли работать не станешь?

— А я вместо завтрака цветы нюхаю. Солнечным лучом обедаю. Алой зарёй ужинаю.

— Это хорошо. А где ты жить будешь?

— Я бабочка складненькая, маленькая. Много ли мне места надо? В твою мягкую шубку забьюсь, в шёрстке спрячусь. Куда ты, туда и я. Всегда при тебе.

— Лучше и не придумаешь, — говорит Тушкан. — Очень даже удобно. Селись в моей шубке.

Поселил Тушкан Белую Бабочку в своей шёрстке. Куда он, туда и она. Ему хорошо, а ей того лучше. Живёт Белая Бабочка в тепле, в светле, в мягкости. Одно только Тушкану не понятно: как можно вместо завтрака цветы нюхать, солнечным лучом обедать и алой зарёй ужинать. А спрашивать не стал.

«Значит, порода такая благородная», — решил про себя пушистый зверёк.

Прошло сколько-то времени — вдруг у Тушкана шёрстка редеть начала.

— Отчего бы это, дорогая Белая Бабочка?

А та ему ласковым голосочком отвечает:

— Не иначе, Тушканчик-Пушканчик, твоя старая шёрстка линяет и новая подрастает.

Поверил Тушкан Белой Бабочке, а шерсти день ото дня всё меньше и меньше. Совсем поредел мех. Пересчитать волоски можно.

Не на шутку закручинился Тушкан Пушканович.

— Уж не болезнь ли какая приключилась со мной, дорогая Белая Бабочка?

— Да что ты, да что ты! — успокаивает она его, а сама к заячьей шубке приглядывается, с молодым Бурундуком весёлые разговоры заводит, о здоровье у старого Барсука спрашивает.

Весь лес знает, какая беда приключилась с Тушканом Пушкановичем, только ему невдомёк. Белки, Ежовки в глаза над облысевшим Тушканом смеются. Подслеповатые Кротовочки и те видят обман Белой Бабочки, а Тушкан и ухом не ведёт.

Прознала и старая мать, что неладное с сыном творится. Прибежала к нему и чуть от разрыва сердца не померла.

— Сыночек мой! — завопила Тушканиха. — Кто это тебя до ниточки, до шерстиночки обобрал? Ты же совсем голый! Кому ты теперь такой нужен?

— Это верно, — сказала Белая Бабочка, доедая последний волосок Тушкана Пушкановича. — Тут мне больше нечем лакомиться. Пора в другой мех переселяться.

Сказала так, захихикала, вспорхнула и полетела в барсучий лес.

Сразу узнала Тушканиха по хитрому путаному полёту Белой Бабочки вредную Моль. Узнала и залилась горькими слезами, оплакивая голого сына.

— Да не горюй ты, не горюй, Тушканиха, — утешает её Серая Сова. — У него шуба не купленная, а живая, своя. Вырастет шерсть да ещё гуще будет.

Так и случилось. Продрожал голышом всю зиму Тушкан в материнской норе, а по весне оброс пушистой шерстью. Заново бедняга решил жизнь начинать, с умом друзей выбирать, по работе ценить лесных жителей. По труду!

ЕЖИХА-ФОРСИХА

Приглянулся Ежихе-форсихе выдровый мех. Не налюбуется.

— Давай, Выдра, одёжкой меняться.

— Давай! — говорит Выдра.

Сказано — сделано. Поменялись одёжками.

Ходит по лесу Ежиха-форсиха, дорогим выдровым мехом похваляется:

— Вот я какая нарядная! Смотрите.

Учуяли собаки-разбойницы дорогой выдровый мех и кинулись на Ежиху-форсиху:

— Снимай, тётка, выдровую шубу!

А Ежиха и в ус не дует. Забыла, что больше она не колюча. Свернулась по старой ежиной привычке в комочек да и подзадоривает собак:

— А ну, попробуйте схватите меня!

А собаки взяли да и схватили.

Поняла Ежиха в собачьих зубах, какого она маху дала, когда свою колючую шкурку-защитницу на выдровый приманочный мех променяла. Поняла, да уж поздно было.

ЛУНА, ЛУЖИЦА
И ОДНОГЛАЗАЯ ВОРОНА

Однажды ночью одна одноглазая Ворона сделала крупные открытия.

Вечером над лесом поднялась полная, румяная Луна.

— Посмотрите, какая я большая! — сказала Луна. — Я больше Солнца.

— Да, это так! — подтвердила одноглазая Ворона, заночевавшая на дереве близ болота.

К полуночи Луна отразилась в маленькой болотной Лужице. Тогда Лужица обрадованно воскликнула:

— Смотрите, а я, оказывается, больше Луны! Луна полностью уместилась в моих берегах, да ещё осталось достаточно места для звёзд.

— Да, это верно, — согласилась одноглазая Ворона и принялась размышлять. — Если Луна, отразившись в тебе, уместилась в твоих берегах и осталось ещё место для звёзд, ты больше её. Но мой глаз больше тебя.

— Это каким образом? — спросила болотная Лужица.

— Очень просто, — сказала одноглазая Ворона. — Ты, Лужица, умещаешься в моём глазу вместе с Луной и звёздами, да ещё остается место, чтобы уместить всё болото.

Бельмо, сидевшее на левом глазу Вороны, важно сказало:

— Самое большое в мире — это я. Стоит мне пересесть на твой правый зрячий глаз, Ворона, и я закрою не только Лужицу с Луной, но и весь мир.

— Да, это правда, — ещё раз согласилась Ворона и снова принялась рассуждать о величайших открытиях, которые были сделаны ею в эту ночь.

И пусть себе рассуждает, а мы тем часом новый памятный узелок завяжем.

КРЫЛАТАЯ ИЗМЕНЩИЦА

— Где и когда только не рассказывали эту сказку про животное, которое не птица, а летает. Не щука, а зубаста. В темноте живёт, да не крот, зимой спит, да не в берлоге. А бывает, и с иным мальчонкой схожа.

— Чем же, — спросил внук старого сказочника, — мальчик не мышь, и крыльев у него нет. Чем?

— Пусть тебе ответит сказка. Слушай.

И старик повторил древнюю сказку.

Когда птицы воевали с грызунами, и по всему было видно, что перевес за крылатым войском, Летучая Мышь примыкала к птицам и торжествовала вместе с ними победу.

Это удивляло птиц, и они спрашивали:

— Как тебе не стыдно радоваться поражению грызунов? Ведь ты же из их племени, ты — мышь! У тебя острые, как пила, зубы и длинный, тонкий мышиный хвост!

— Какая же я мышь, коли у меня крылья. Захочу — могу и в тёплые страны улететь.

Птицам нечего было возразить, и они признали мышь птицей.

Когда же побеждённые грызуны, оправившись после разгрома, переходили в наступление и разгоняли пернатых, Летучая Мышь прославляла вместе с ними исход сражения.

— Чему ты радуешься? Ведь у тебя же крылья!

— И рыбы бывают крылатыми, но их никто не называет птицами! Я Мышь! Мышь! — скрипуче пищала изменщица. — Я ваша кровная родня.

Так повторялось несколько раз и кончилось тем, что и пернатые, и грызуны, вплоть до маленьких мышек-полёвок, не только отвернулись от вероломной притворщицы, но и решили расправиться с ней.

С тех пор Летучая Мышь стала прятаться на чердаках, в дуплах, скрываться в пещерах или трещинах скал, и только ночью, когда все спали, она стремительно и боязливо вылетала на промысел, чтобы не околеть с голоду...

— Вот и всё, милый мой, — сказал дед, — мне бы очень хотелось, чтобы ты запомнил на всю жизнь эту, не такую уж детскую, сказку и не повторил бесстыдство Летучей Мыши ни в дружбе, ни в любви, ни в верности земле, которую ты называешь родной.

МУРАВЕЙ

Ползёт муравей, волокёт соломину.

А ползти муравью через грязь, топь да мохнатые кочки; где вброд, где соломину с края на край переметнёт да по ней и переберётся.

Устал муравей, на ногах грязища — пудовики, усы измочил. А над болотом туман стелется, густой, непролазный — зги не видно.

Сбился муравей с дороги и стал из стороны в сторону метаться — светляка искать...

— Светлячок, светлячок, зажги фонарик.

А светляку самому впору ложись — помирай, — ног-то нет, на брюхе ползти не спорно.

— Не поспею я за тобой, — охает светлячок, — мне бы в колокольчик залезть, ты уж без меня обойдись.

Нашёл колокольчик, заполз в него светлячок, зажёг фонарик, колокольчик просвечивает, светлячок очень доволен.

Рассердился муравей, стал у колокольчика стебель грызть.

А светлячок перегнулся через край, посмотрел и принялся звонить в колокольчик.

И сбежались на звон да на свет звери: жуки водяные, ужишки, комары да мышки, бабочки-полуношницы. Повели топить муравья в непролазные грязи.

Муравей плачет, упрашивает:

— Не топите меня, я вам муравьиного вина дам.

— Ладно.

Достали звери сухой лист, нацедил муравей туда вина; пьют звери, похваливают.

Охмелели, вприсядку пустились.

А муравей — бежать.

Подняли звери пискотню, шум да звон и разбудили старую летучую мышь. Спала она под балконной крышей, кверху ногами. Вытянула ухо, сорвалась, нырнула из темени к светлому колокольчику, прикрыла зверей крыльями да всех и съела.

Вот что случилось тёмною ночью, после дождя, в топучих болотах, посреди клумбы, около балкона.

РАЧЬЯ СВАДЬБА

Грачонок сидит на ветке у пруда. По воде плывёт сухой листок, в нём — улитка.

— Куда ты, тётенька, плывёшь? — кричит ей грачонок.

— На тот берег, милый, к раку на свадьбу.

— Ну ладно, плыви.

Бежит по воде паучок на длинных ножках, станет, огребнётся и дальше пролетит.

— А ты куда?

Увидал паучок у грачонка жёлтый рот, испугался.

— Не трогай меня, я — колдун, бегу к раку на свадьбу.

Из воды головастик высунул рот, шевелит губами.

— А ты куда, головастик?

— Дышу, чай, видишь, сейчас в лягушку хочу обратиться, поскачу к раку на свадьбу.

Трещит, летит над водой зелёная стрекоза.

— А ты куда, стрекоза?

— Плясать лечу, грачонок, к раку на свадьбу...

«Ах ты, штука какая, — думает грачонок, — все туда торопятся».

Жужжит пчела.

— И ты, пчела, к раку?

— К раку, — ворчит пчела, — пить мед да брагу.

Плывет краснопёрый окунь, и взмолился ему грачонок:

— Возьми меня к раку, краснопёрый, летать я ещё не мастер, возьми меня на спину.

— Да ведь тебя не звали, дуралей.

— Всё равно, глазком поглядеть...

— Ладно, — сказал окунь, высунул из воды крутую спину, грачонок прыгнул на него, — поплыли.

А у того берега на кочке справлял свадьбу старый рак. Рачиха и рачата шевелили усищами, глядели глазищами, щёлкали клешнями, как ножницами.

Ползала по кочке улитка, со всеми шепталась — сплетничала.

Паучок забавлялся — лапкой сено косил.

Радужными крылышками трещала стрекоза, радовалась, что она такая красивая, что все её любят.

Лягушка надула живот, пела песни. Плясали три пескарика и ёрш.

Рак-жених держал невесту за усище, кормил её мухой.

— Скушай, — говорил жених.

— Не смею, — отвечала невеста, — дяденьки моего жду, окуня...

Стрекоза закричала:

— Окунь, окунь плывёт, да какой он страшный, с крыльями.

Обернулись гости...

По зелёной воде что есть духу мчался окунь, а на нём сидело чудище чёрное и крылатое с жёлтым ртом.

Что тут началось... Жених бросил невесту, да — в воду; за ним — раки, лягушка, ёрш да пескарики; паучок обмер, лёг на спинку; затрещала стрекоза, насилу улетела.

Подплывает окунь — пусто на кочке, один паучок лежит и тот, как мёртвый...

Скинул окунь грачонка на кочку, ругается:

— Ну, что ты, дуралей, наделал... Недаром тебя, дуралея, и звать-то не хотели...

Ещё шире разинул грачонок жёлтый рот, да так и остался — дурак дураком на весь век.

ГРИБЫ

Братца звали Иван, а сестрицу — Косичка. Мамка была у них сердитая: посадит на лавку и велит молчать. Сидеть скучно, мухи кусаются или Косичка щипнёт — и пошла возня, а мамка рубашонку задерёт да — шлёп...

В лес бы уйти, там хоть на голове ходи — никто слова не скажет...

Подумали об этом Иван да Косичка да в тёмный лес и удрали.

Бегают, на деревья лазают, кувыркаются в траве, — никогда визга такого в лесу не было слышно.

К полудню ребятишки угомонились, устали, захотели есть.

— Поесть бы, — захныкала Косичка.

Иван начал живот чесать — догадываться.

— Мы гриб найдём и съедим, — сказал Иван. — Пойдём, не хнычь.

Нашли они под дубом боровика и только сорвать его нацелились, Косичка зашептала:

— А может, грибу больно, если его есть?

Иван стал думать. И спрашивает:

— Боровик, а боровик, тебе больно, если тебя есть?

Отвечает боровик хрипучим голосом:

— Больно.

Пошли Иван да Косичка под берёзу, где рос подберёзовик, и спрашивают у него:

— А тебе, подберёзовик, если тебя есть, больно?

— Ужасно больно, — отвечает подберёзовик.

Спросили Иван да Косичка под осиной подосин-
ника, под сосной — белого, на лугу — рыжика,
груздя сухого да груздя мокрого, синявку-малявку,
опёнку тощую, маслённика, лисичку и сыроежку.

— Больно, больно, — пищат грибы.

А груздь мокрый даже губами зашлёпал:

— Што вы ко мне приштали, ну ваш к лешему...

— Ну, — говорит Иван, — у меня живот подвело.
А Косичка дала рёву.

Вдруг из-под прелых листьев вылезает красный
гриб, словно мукой сладкой обсыпан — плотный,
красивый. Ахнули Иван да Косичка:

— Миленький гриб, можно тебя съесть?

— Можно, детки, можно, с удовольствием, —
приятным голосом отвечает им красный гриб, так
сам в рот и лезет.

Присели над ним Иван да Косичка и только разинули рты, — вдруг откуда ни возьмись налетают грибы: боровик и подберёзовик, подосинник и белый, опёнка тощая и синявка-малявка, мокрый груздь да груздь сухой, маслённик, лисички и сыроежки, и давай красного гриба колотить-колошматить:

— Ах ты, яд, Мухомор, чтобы тебе лопнуть, ребятишек травить удумал...

С Мухомора только мука летит.

— Посмеяться я хотел, — вопит Мухомор...

— Мы тебе посмеёмся! — кричат грибы и так навалились, что осталось от Мухомора мокрое место — лопнул.

И где мокро осталось, там даже трава завяла с мухоморьего яда...

— Ну, теперь, ребятишки, раскройте рты по-настоящему, — сказали грибы.

И все грибы до единого к Ивану да Косичке, один за другим, скок в рот — и проглотились.

Наелись до отвалу Иван да Косичка и тут же заснули. А к вечеру прибежал заяц и повёл ребятишек домой. Увидела мамка Ивана да Косичку, обрадовалась, всего по одному шлепку отпустила, да и то любя, а зайцу дала капустный лист:

— Ешь, барабанщик!

ЗАЯЦ

Летит по снегу позёмка, метёт сугроб на сугроб... На кургане поскрипывает сосна:

— Ох, ох, кости мои старые, ноченька-то разыгралась, ох, ох...

Под сосной, насторожив уши, сидит заяц.

— Что ты сидишь, — стонет сосна, — съест тебя волк, — убежал бы.

— Куда мне бежать, кругом бело, все кустики замело, есть нечего...

— А ты порой, поскреби.

— Нечего искать, — сказал заяц и опустил уши.

— Ох, старые глаза мои, — закряхтела сосна, — бежит кто-то, должно быть, волк, — волк и есть.

Заяц заметался.

— Спрячь меня, бабушка...

— Ох, ох, ну, прыгай в дупло, косой.

Прыгнул заяц в дупло, а волк подбегает и кричит сосне:

— Сказывай, старуха, где косой?

— Почём я знаю, разбойник, не стерегу я зайца, вон ветер как разгулялся, ох, ох...

Метнул волк серым хвостом, лёг у корней, голову на лапы положил. А ветер свистит в сучьях, крепчает...

— Не вытерплю, не вытерплю, — скрипит сосна.

Снег гуще повалил, налетел лохматый буран, подхватил белые сугробы, кинул их на сосну.

Напружилась сосна, крякнула и сломалась...

Серого волка, падая, до смерти зашибла...

Замело их бураном обоих.

А заяц из дупла выскочил и запрыгал куда глаза глядят.

«Сирота я, — думал заяц, — была у меня бабушка сосна, да и ту замело...»

И капали в снег пустяковые заячьи слезы.

ЁЖ

Телёнок увидел ежа и говорит:

— Я тебя съем!

Ёж не знал, что телёнок ежей не ест, испугался, клубком свернулся и фыркнул:

— Попробуй...

Задрав хвост, запрыгал глупый телёнок, боднуть норовит, потом растопырил передние ноги и лизнул ежа.

— Ой, ой, ой! — заревел телёнок и побежал к корове-матери, жалуется:

— Ёж меня за язык укусил.

Корова подняла голову, поглядела задумчиво и опять принялась траву рвать.

А ёж покатился в тёмную нору под рябиновый корень и сказал ежихе:

— Я огромного зверя победил, должно быть, льва!

И пошла слава про храбрость ежову за синее озеро, за тёмный лес.

— У нас ёж — богатырь, — шёпотом со страху говорили звери.

КАК ЗАЙКА
ПОЙМАЛ СОЛНЦЕ

Однажды маленький беленький Зайчишка спросил свою бабушку, мудрую Зайчиху:

— Милая бабушка, как это так получается, что поднявшись утром раньше всех, я вижу, что кто-то встаёт ещё раньше, проходит по дорожке к нашему домику и оставляет там свои следы. Кто бы это мог быть?

— Наверно, тот, кто встает ещё раньше, — ответила мудрая Зайчиха.

— Проверим, кто это такой — сказал Зайка.

Вечером он поставил ловушку и лёг спать.

На следующее утро, проснувшись раньше обычного, Заяц побежал проверять свою ловушку. И — о чудо! В ловушке он увидел незнакомца.

— Кто ты? — спросил удивлённо Зайка.

— Я — Солнце, — ответил незнакомец.

— Так это ты встаёшь раньше меня и оставляешь свои следы около нашего домика?! Наконец-то я тебя поймал! — заликовал Зайка.

Но Солнцу было не до разговоров. Оно так запуталось в ловушке, что не могло ни сдвинуться с места, ни пошевелиться.

— Ну что же из того, что ты меня поймал? — сказало Солнце. — А ты подумал, что скажут люди? Что скажут звери? Ты думаешь, это им понравится?

Подумал-подумал Заяц и решил, что ни людям, ни зверям это не понравится. Более того: все просто пропадут без Солнца. И он, Зайчик, и его бабушка, мудрая Зайчиха... Подумал и поскорее принялся освобождать Солнце из ловушки.

А Солнце было очень горячим и жгло немилосердно. Зайке приходилось всё время дуть на лапки, пока он развязывал путы.

Наконец Солнце получило свободу и укатилось в небо.

Солнце-то свободу получило, а вот Зайка, пока распутывал Солнце, так обгорел, что его шубка из белой стала серовато-коричневой...

Может, поэтому все зайцы летом носят теперь такую «загорелую» шубку и лишь к зиме снова становятся белыми.

БЕЛЫЙ ОЖЕРЁЛОК

Слышал я в Сибири, около озера Байкал, от одного гражданина про медведя и, признаюсь, не поверил. Но он меня уверял, что об этом случае в старое время даже в сибирском журнале было напечатано под заглавием: «Человек с медведем против волков».

Жил на берегу Байкала один сторож, рыбу ловил, белок стрелял. И вот раз будто бы видит в окошко этот сторож: бежит прямо к избе большой медведь, а за ним гонится стая волков. Вот-вот бы — и конец медведю... Он, мишка этот, не будь плох, в сени, дверь за ним сама закрылась, а он ещё на неё лапу и сам привалился.

Старик, поняв это дело, снял винтовку со стены и говорит:

— Миша, Миша, подержи!

Волки лезут на дверь, а старик выцеливает волка в окно и повторяет:

— Миша, Миша, подержи!

Так убил одного волка, и другого, и третьего, всё время приговаривая:

— Миша, Миша, подержи...

После третьего стая разбежалась, а медведь остался в избе зимовать под охраной старика. Весной же, когда медведи выходят из своих берлог, старик будто бы надел на этого медведя белый ожерёлок и всем охотникам наказал, чтобы медведя этого — с белым ожерёлком — никто не стрелял: этот медведь — его друг.

УЖАСНАЯ ВСТРЕЧА

Это известно всем охотникам, как трудно выучить собаку не гоняться за зверями, кошками и зайцами, разыскивать только птицу.

Однажды во время моего урока Ромке мы вышли на полянку. На ту же полянку вышел тигровый кот. Ромка был с левой руки от меня, а кот — с правой, и так произошла эта ужасная встреча. В одно мгновенье кот обернулся, пустился наутёк, а за ним ринулся Ромка. Я не успел ни свистнуть, ни крикнуть «тубо»[1].

---

[1] Тубо — значит «нельзя».

Вокруг на большом пространстве не было ни одного дерева, на которое кот мог бы взобраться и спастись от собаки, — кусты и полянки без конца. Я иду медленно, как черепаха, разбирая следы Ромкиных лап на влажной земле, на грязи, по краям луж и на песке ручьёв. Много перешёл я полянок, мокрых и сухих, перебрёл два ручейка, два болотца, и наконец вдруг всё открылось: Ромка стоит на поляне неподвижный, с налитыми кровью глазами; против него, очень близко, — тигровый кот; спина горбатым деревенским пирогом, хвост медленно поднимается и опускается. Нетрудно мне было догадаться, о чём они думали.

Тигровый кот говорит:

— Ты, конечно, можешь на меня броситься, но помни, собака, за меня тигры стоят! Попробуй-ка, сунься, пёс, и я дам тебе тигра в глаза.

Ромку же я понимал так:

— Знаю, мышатница, что ты дашь мне тигра в глаза, а все-таки я тебя разорву пополам! Вот только позволь мне ещё немного подумать, как лучше бы взять тебя.

Думал и я: «Ежели мне к ним подойти, кот пустится наутёк, за ним пустится и Ромка. Если попробовать Ромку позвать...»

Долго раздумывать, однако, было мне некогда. Я решил начать усмирение зверей с разговора по-хорошему. Самым нежным голосом, как дома в комнате во время нашей игры, я назвал Ромку по имени и отчеству:

— Роман Василич!

Он покосился. Кот завыл.

Тогда я крикнул твёрже:

— Роман, не дури!

Ромка оробел и сильнее покосился. Кот сильнее провыл.

Я воспользовался моментом, когда Ромка покосился, успел поднять руку над своей головой и так сделать, будто рублю головы и ему, и коту. Увидев это, Ромка подался назад, а кот, полагая, будто Ромка струсил, и втайне, конечно, радуясь этому, провыл с переливом обыкновенную котовую победную песню. Это задело самолюбие Ромки. Он, пятясь задом, вдруг остановился и посмотрел на меня, спрашивая:

— Не дать ли ему?

Тогда я ещё раз рукой в воздухе отрубил ему голову и во всё горло выкрикнул бесповоротное своё решение:

— Тубо!

Он подался ещё к кустам, обходом явился ко мне. Так я сломил дикую волю собаки.

А кот убежал.

ЛИСА И МЕДВЕДЬ

Жила-была кума-Лиса; надоело Лисе на старости самой о себе промышлять, вот и пришла она к Медведю и стала проситься в жилички:

— Впусти меня, Михайло Потапыч, я лиса старая, учёная, места займу немного, не объем, не обопью, разве только после тебя поживлюсь, косточки огложу.

Медведь, долго не думав, согласился. Перешла Лиса на житьё к Медведю и стала осматривать да обнюхивать, где что у него лежит. Мишенька жил с запасом, сам досыта наедался и Лисоньку хорошо кормил.

Вот заприметила она в сенцах на полочке кадочку с мёдом, а Лиса, что Медведь, любит сладко поесть; лежит она ночью да и думает, как бы ей уйти да медку полизать; лежит, хвостиком постукивает да Медведя спрашивает:

— Мишенька, никак, кто-то к нам стучится?

Прислушался Медведь.

— И то, — говорит, — стучат.

— Это, знать, за мной, за старой лекаркой, пришли.

— Ну что ж, — сказал Медведь, — иди.

— Ох, куманёк, что-то не хочется вставать!

— Ну, ну, ступай, — понукал Мишка, — я и дверей за тобой не стану запирать.

Лиса заохала, слезла с печи, а как за дверь вышла, откуда и прыть взялась! Вскарабкалась на полку и ну починать кадочку; ела, ела, всю верхушку съела, досыта наелась; закрыла кадочку ветошкой (тряпкой. — Ред.), прикрыла кружком, заложила камешком, всё прибрала, как у Медведя было, и воротилась в избу как ни в чём не бывало.

Медведь её спрашивает:

— Что, кума, далеко ль ходила?

— Близёхонько, куманёк; звали соседки, ребёнок у них захворал.

— Что же, полегчало?

— Полегчало.

— А как зовут ребёнка?

— Верхушечкой, куманёк.

— Не слыхал такого имени, — сказал Медведь.

— И-и, куманёк, мало ли чудных имён на свете живёт!

Медведь уснул, и Лиса уснула.

Понравился Лисе медок, вот и на другую ночку лежит, хвостом об лавку постукивает:

— Мишенька, никак опять кто-то к нам стучится?

Прислушался Медведь и говорит:

— И то кума, стучат!

— Это, знать, за мной пришли!

— Ну что же, кумушка, иди, — сказал Медведь.

— Ох, куманёк, что-то не хочется вставать, старые косточки ломать!

— Ну, ну, ступай, — понукал Медведь, — я и дверей за тобой не стану запирать.

Лиса заохала, слезая с печи, поплелась к дверям, а как за дверь вышла, откуда и прыть взялась! Вскарабкалась на полку, добралась до мёду, ела, ела, всю серёдку съела; наевшись досыта, закрыла кадочку тряпочкой, прикрыла кружком, заложила камешком, всё, как надо, убрала и вернулась в избу.

А Медведь её спрашивает:

— Далеко ль, кума, ходила?

— Близёхонько, куманёк. Соседи звали, у них ребёнок захворал.

— Что ж, полегчало?

— Полегчало.

— А как зовут ребёнка?

— Серёдочкой, куманёк.

— Не слыхал такого имени, — сказал Медведь.

— И-и, куманёк, мало ли чудных имён на свете живёт! — отвечала Лиса.

С тем оба и заснули.

Понравился Лисе медок; вот и на третью ночь лежит, хвостиком постукивает да сама Медведя спрашивает:

— Мишенька, никак, опять к нам кто-то стучится?

Послушал Медведь и говорит:

— И то, кума, стучат.

— Это, знать, за мной пришли.

— Что же, кума, иди, коли зовут, — сказал Медведь.

— Ох, куманёк, что-то не хочется вставать, старые косточки ломать! Сам видишь — ни одной ночки соснуть не дают!

— Ну, ну, вставай, — понукал Медведь, — я и дверей за тобой не стану запирать.

Лиса заохала, закряхтела, слезла с печи и поплелась к дверям, а как за дверь вышла, откуда и прыть взялась! Вскарабкалась на полку и принялась за кадочку; ела, ела, все последки съела; наевшись досыта, закрыла кадочку тряпочкой, прикрыла кружком, пригнела камешком и всё, как надо быть, убрала. Вернувшись в избу, она залезла на печь и свернулась калачиком.

А Медведь стал Лису спрашивать:

— Далеко ль, кума, ходила?

— Близёхонько, куманёк. Звали соседи ребёнка полечить.

— Что ж, полегчало?

— Полегчало.

— А как зовут ребёнка?

— Последышком, куманёк, Последышком, Потапович!

— Не слыхал такого имени, — сказал Медведь.

— И-и, куманёк, мало ли чудных имён на свете живёт!

Медведь заснул, и Лиса уснула.

Вдолге ли, вкоротке ли, захотелось опять Лисе мёду — ведь Лиса сластёна, — вот и прикинулась она больной: кахи да кахи, покою не даёт Медведю, всю ночь прокашляла.

— Кумушка, — говорит Медведь, — хоть бы чем ни на есть полечилась.

— Ох, куманёк, есть у меня снадобьеце, только бы медку в него подбавить, и всё как есть рукой сымет.

Встал Мишка с полатей и вышел в сени, снял кадку — ан кадка пуста!

— Куда девался мёд? — заревел Медведь. — Кума, это твоих рук дело!

Лиса так закашлялась, что и ответа не дала.

— Кума, кто съел мёд?

— Какой мёд?

— Да мой, что в кадочке был!

— Коли твой был, так, значит, ты и съел, — отвечала Лиса.

— Нет, — сказал Медведь, — я его не ел, всё про случай берёг; это, значит: ты, кума, сшалила?

— Ах ты, обидчик этакий! Зазвал меня, бедную сироту, к себе да и хочешь со свету сжить! Нет, друг, не на такую напал! Я, Лиса, мигом виноватого узнаю, разведаю, кто мёд съел.

Вот Медведь обрадовался и говорит:

— Пожалуйста, кумушка, разведай!

— Ну что ж, ляжем против солнца — у кого мёд из живота вытопится, тот его и съел.

Вот легли, солнышко их пригрело. Медведь захрапел, а Лисонька — скорее домой: соскребла последний медок из кадки, вымазала им Медведя, а сама, умыв лапки, ну Мишеньку будить.

— Вставай, вора нашла! Я вора нашла! — кричит в ухо Медведю Лиса.

— Где? — заревел Мишка.

— Да вот где, — сказала Лиса и показала Мишке, что у него всё брюхо в меду.

Мишка сел, протёр глаза, провёл лапой по животу — лапа так и льнёт, а Лиса его корит:

— Вот видишь, Михайло Потапович, солнышко-то мёд из тебя вытопило! Вперёд, куманёк, своей вины на другого не сваливай!

Сказав это, Лиска махнула хвостом, только Медведь и видел её.

ЛИСА И КОЗЁЛ

Бежала лиса, на ворон зазевалась и попала в колодец. Воды в колодце было немного: утонуть нельзя да и выскочить тоже. Сидит лиса, горюет. Идёт козёл, умная голова; идёт, бородищей трясёт, рожищами мотает, заглянул, от нечего делать, в колодец, увидел там лису и спрашивает:

— Что ты там, лисонька, поделываешь?

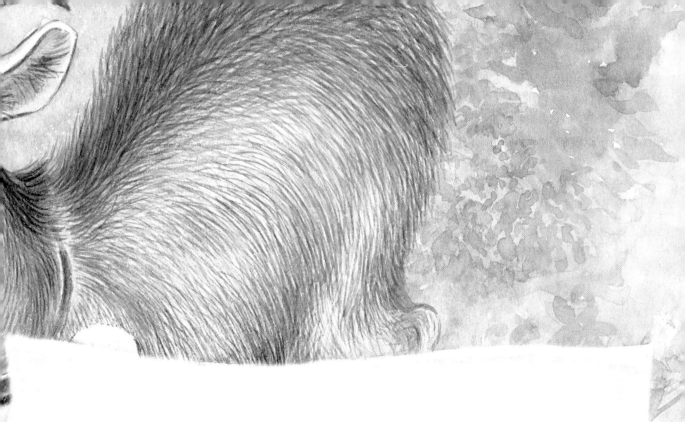

— Отдыхаю, голубчик, — отвечает лиса. — Там наверху жарко, так я сюда забралась. Уж как здесь прохладно да хорошо! Водицы холодненькой сколько хочешь.

А козлу давно пить хочется.

— Хороша ли вода-то? — спрашивает козёл.

— Отличная! — отвечает лиса. — Чистая, холодная: прыгай сюда, коли хочешь; здесь обоим нам место будет.

Прыгнул сдуру козёл, чуть лисы не задавил, а она ему:

— Эх, бородатый дурень! И прыгнуть-то не умел — всю обрызгал.

Вскочила лиса козлу на спину, со спины на рога, да и вон из колодца.

Чуть было не пропал козёл с голоду в колодце; насилу-то его отыскали и за рога вытащили.

КАК МЕДВЕДЬ С БУРУНДУКОМ ДРУЖИЛ

В семье бурундуков радость: родился сынок Мася. Да какой! Рыже-золотой, как солнышко, и ни одной полосочки. «Ни у кого такого красавца нет!» — радовались родители-бурундуки. Но говорят: судьба одной рукой даёт, а другой забирает... Это был как раз такой случай.

Звериные детишки растут быстро. Через год Мася был уже большой, сильный и очень красивый. Вот только характер имел — хуже некуда! Хвастливый, злой, он никого не любил и, когда выдавалась возможность, старался побольнее обидеть братишек и сестёр.

— Что мне с тобой делать? — сокрушалась мать-барсучиха. — И в кого ты такой уродился?!

— В моих жилах течёт медвежья кровь! — гордо заявил озорник. — И я сейчас же ухожу жить к Топтыгину.

Мать только головой покачала, когда сын вышел
из норы и направился к берлоге Мишки.

— Можно я буду у тебя жить? — постучался Мася
в медвежью берлогу. — Ты же добрый! А я маленький, много не съем, и тебе веселее будет.

Увидев такого учтивого красавца, Мишка с радостью пустил его в берлогу, угостил самой вкусной едой, напоил чаем с медком, уложил спать на свою постель. А сам на лавке устроился.

Так они вдвоём и зажили. Утром вместе выходили солнышко встречать. Сядут спина к спине и греются. «Вот чудеса-то! — удивлялись лесные звери. — Хвастунишка-то наш присмирел!» Только рано они радовались!

Через несколько дней Мася принялся за старое. Миша в лес ушёл набрать ягод для бурундука, а тот в это время добрался до бочонка с мёдом и насыпал туда земли. Потом подпилил ножку у стула, на котором обычно сидел Миша... Тут и медведь воротился с кузовком ягод для маленького приятеля.

— Уф, устал, — сказал он, садясь на стул.

Ножка стула подломилась, и Мишка грохнулся на пол. Потирая ушибленный бок, он решил поесть медку. Но вместо мёда в бочонке была липкая грязь...

— Да что же это такое, — заревел Мишка.

— Не знаю, Мишенька! — сказал злой озорник. — Ложись спать. Утро вечера мудренее.

Но едва, огорчённо посапывая, Мишка устроился на лавке и захрапел, посасывая лапу, Мася достал из коробочки пчелу и посадил Мишке на нос. Пчела, не долго думая, ужалила того в нос. Ох, и ревел наш медведь! А злой бурундук тихонько хихикал, радуясь своим выходкам.

На утро Мишка снова пошёл за ягодами. Но так как нос болел очень сильно, далеко от дома отойти не решился. Около берлоги ближайший куст и стал обирать.

Бурундук же выскочил на полянку, не заметив медведя, вскочил на пенёк и запел:

Мишка толстый, Мишка глупый!
Ловко я провёл его!
Самый умный я на свете,
Не боюсь я никого!

— Ах, ты негодник!— заревел, выскакивая из-за куста медведь. — Вот ты какой! Да я тебя сейчас на одну лапу положу, другой прихлопну — мокрое место останется!

Перепугался бурундук и скорее к своим в нору юркнул. Сидит, никому не показывается. Стыдно!

ПОЧЕМУ У ЗАЙЦА КОРОТКИЙ ХВОСТ

Говорят, что давным-давно Заяц и Белка внешне очень походили друг на друга. Ну прямо, как близнецы! Особенно красивыми были их длинные, пушистые хвосты. Вот только характеры у них были совершенно разными: Заяц отличался хвастовством и ленью, а Белка — трудолюбием и скромностью.

Эта история произошла в один осенний денёк. Заяц, устав праздно бегать по лесу, развалился под деревом. В это время с орехового куста к нему спрыгнула Белка.

— Здравствуй, друг Заяц! Как дела?

— Хорошо, Белочка! Да разве у меня могут быть плохи дела? — легкомысленно ответил Заяц. — Иди ко мне, отдохни в тени!.

— Нет, — со вздохом ответила Белка. — У меня дел много. Орехи собирать надо. Ведь зима уже не за горами.

— Сбор орехов! Это ты называешь работой? — рассмеялся Косой. — Да вон их сколько на земле валяется! Бери, сколько хочешь!

— Нет, Заинька! Только здоровые, созревшие плоды висят на кустах гроздьями. — Белка, взяв несколько таких орехов, показала их Зайцу. — Вот смотри... А плохие, червивые при каждом дуновении ветра осыпаются на землю. Поэтому я сначала собираю те, что на кустах. Выбираю только целые, не червивые, и несу в своё дупло. Орехи да грибы — моя основная пища зимой!

— Вот мне хорошо! На зимовке не нужны ни гнездо, ни запасы пищи. Потому что я умный зверёк! — сам себя похваливал Заяц. — Ложусь на белый снег, застилаю его своим пушистым хвостом и сплю на нём спокойно. Проголодаюсь — обгрызу древесную кору.

— Каждый живёт по-своему, — сказала Белка и уже хотела вновь забраться на ореховый куст...

Но тут из травы вышел Ёж, на иголках которого было наколото несколько грибов.

— Вы так похожи друг на друга! Такие оба красавцы! — сказал он, восхищаясь Зайцем и Белкой. — У вас передние ноги короткие, а задние длинные; аккуратные красивые уши, чудесные глаза... Но особенно восхитительны ваши пушистые длинные хвосты!

— Нет, нет, — возмутился Заяц, вскочив на ноги. — Я... я... телом больше! Посмотрите на мой хвост — это же загляденье! Хвост моей подружки Белки по сравнению с моим — ничто!

Белка не рассердилась, не заспорила... Она бросила на хвастунишку Зайца укоризненный взгляд и прыгнула на дерево. Ёж, вздохнув, тоже исчез в траве.

В это время подул сильный ветер и осыпал на землю с яблоневых веток последние яблоки. Одно из них, как нарочно, ударило прямо промеж глаз Зайца. Как осенний лист затрепетал Заяц. От испуга и начали косить у него глаза

Но, как говорится, коль пришла беда — отворяй ворота. В ту же минуту начала падать, переломившись от старости пополам, столетняя сосна. Чудом успел отпрыгнуть в сторону Заяц, но его длинный хвост был придавлен толстым сосновым стволом. Сколько ни дёргался, ни метался бедняжка — всё напрасно. Услышав его жалобный стон, на помощь к нему поспешили Белка и Ёж. Однако они ничем помочь ему не смогли.

— Белочка!, — взмолился Заяц, поняв, в какое положение он попал. — Иди быстренько отыщи и приведи сюда Медведя.

Белка, прыгая по веткам, исчезла в ветвях.

— Только бы мне благополучно выпутаться из этой беды, — со слезами на глазах причитал Заяц. — Никогда больше не буду хвастаться своим хвостом.

— Хорошо, что сам целиком под деревом не оказался!, — утешал его Ёж. — потерпи немного: сейчас придёт Медведь и поможет тебе!

Наконец Белка сумела найти в лесу Медведя, и упросила того помочь несчастному Зайцу.

— Пожалуйста, спасите меня, друзья, — плакал Заяц. — Войдите в моё положение...

Сколько ни старался, ни тужился Медведь, но даже пошевелить не смог толстый ствол.

— Ах ты, немощный Медведишка! — сказал возмущённый Заяц, совсем забыв, с кем разговаривает. — Оказывается, сил-то у тебя совсем немного!!!

Белка и Ёж растерянно переглянулись и, ошеломлённые наглостью Зайца, словно приросли к земле.

Кто не знает силы Медведя! Задетый за живое, тот схватился за заячьи уши и изо всех сил начал тянуть их. У бедняги Зайца струной вытянулись шея и уши, в глазах поплыли огненные круги, а пушистый длинный хвост, оторвавшись, остался под стволом сосны.

Так хвастливый Заяц за один осенний день стал обладателем косых глаз, длинных ушей и короткого хвоста...

Сначала он без чувств лежал под деревом. Потом, страдая от боли, трусцой бегал по лесной поляне.

— Больше никогда не буду хвастаться. — повторял он, как заклинанье, бегая вприпрыжку.

— Было бы чем хвастаться! — глядя на Зайца, расхохотался Медведь и ушёл в лес.

А Белка и Ёж, от души жалея Зайца, старались помочь ему, чем могли.

— Давайте, как и прежде, будем жить в мире и дружбе. — сказала Белка. — Так ведь, друг Ёж?

— Именно так! — отвечал тот. — Будем везде и всегда помогать друг другу...

Только Заяц после этих событий стал стыдиться своего внешнего вида. Он до сих пор прячется в кустах и траве и избегает встреч со старыми друзьями...

СОДЕРЖАНИЕ

Сказки из леса / сост. И. А. Котовская ; ил. А. М. Басюбиной, В. Н. Белоусова, М. В. Белоусовой. – М. : Эксмо, 2013. – 136 с. : ил.

С 42

УДК 82-93
ББК 84(2Рос-Рус)6-4

ISBN 978-5-699-52197-5

Литературно-художественное издание

Для младшего школьного возраста

СКАЗКИ ИЗ ЛЕСА

Составитель И.А. Котовская

Художники А.М. Басюбина, В.Н. Белоусов, М.В. Белоусова

Дизайн переплета И. Сауков
Иллюстрация на переплете А.М. Басюбиной

ООО «Издательство «Эксмо»
127299, Москва, ул. Клары Цеткин, д. 18/5. Тел. 411-68-86, 956-39-21.
Home page: **www.eksmo.ru** E-mail: **info@eksmo.ru**

Өндіруші: Издательство «ЭКСМО»ЖШҚ, 127299, Мәскеу, Ресей, Клара Цеткин көш., үй 18/5.
Тел. 8 (495) 411-68-86, 8 (495) 956-39-21
Home page: www.eksmo.ru E-mail: info@eksmo.ru.
Тауар белгісі: «Эксмо»
Қазақстан Республикасында дистрибьютор және өнім бойынша арыз-талаптарды қабылдаушының
өкілі «РДЦ-Алматы» ЖШС, Алматы қ., Домбровский көш., 3«а», литер Б, офис 1.
Тел.: 8(727) 2 51 59 89,90,91,92, факс: 8 (727) 251 58 12 вн. 107; E-mail: RDC-Almaty@eksmo.kz
Өнімнің жарамдылық мерзімі шектелмеген.
Сертификация туралы ақпарат сайтта: www.eksmo.ru/certification

Оптовая торговля книгами «Эксмо»:
ООО «ТД «Эксмо». 142700, Московская обл., Ленинский р-н, г. Видное,
Белокаменное ш., д. 1, многоканальный тел. 411-50-74.
E-mail: **reception@eksmo-sale.ru**
***По вопросам приобретения книг «Эксмо» зарубежными оптовыми
покупателями*** обращаться в отдел зарубежных продаж ТД «Эксмо»
E-mail: **international@eksmo-sale.ru**
*International Sales: International wholesale customers should contact
Foreign Sales Department of Trading House «Eksmo» for their orders.*
international@eksmo-sale.ru

Подписано в печать 29.07.2013. Формат 84х108¹⁄₁₆.
Печать офсетная. Усл. печ. л. 14,28.
Доп. тираж 3000 экз. Заказ № ВЗК-04175-13.

Отпечатано в ОАО «Первая Образцовая типография», филиал «Дом печати – ВЯТКА»
в полном соответствии с качеством предоставленных материалов
610033, г. Киров, ул. Московская, 122